绘本馆

绘声绘色　童书汇

我会爱自己（第1辑③）

我会爱自己（第1辑 ③）

（学会自我保护·懂得自我管理）

文字／[德]苏珊·阿本哈德　　绘图／[德]尤塔·可尼平　　翻译／张清泉

我不跟陌生人走

青岛出版社
QINGDAO PUBLISHING HOUSE

"我可以和莎洛特一起出去玩吗？"汉娜问。

"天还没黑呢。"莎洛特说。她知道妈妈们担心什么。

"好吧。"汉娜的妈妈同意了。

"一定要注意安全。"莎洛特的妈妈叮嘱道，"只能在花园里玩，不能到街上去。"

汉娜一脸自豪地向莎洛特展示她家种的草莓。

"你看，那个人走路的样子好奇怪呀！"莎洛特指着马路对面的一个老奶奶说。

"那是温特哈格太太，她年纪大了，所以需要拄着拐棍走路。"汉娜说，"她很和蔼。不过，我跟她不是很熟。"

一个陌生男人探过身来，"咦"了一声。

汉娜和莎洛特觉得他有点儿莫名其妙，她们对视了一下，咯咯地笑起来。

陌生男人也笑了，他问："你们在干什么呢？"

"你不住在这附近吧？"汉娜以前从没见过他。

陌生男人没有回答，他抬起头看了看汉娜的家，说："你们的房子不错呀！"

　　莎洛特没有回应。

　　"最好的不是房子，而是这座花园。"汉娜得意地说。

　　老奶奶停下脚步，站在马路对面看着他们三个。

"你家有这么漂亮的花园，一定养狗了吧？"陌生男人询问。

汉娜摇了摇头。

"我家养了一只，不过它还很小。我带了张它的照片，你们想看看吗？"那个男人边说边从上衣口袋里拿出一张照片，并想打开花园的门进来。

老奶奶仍然站在马路对面观察着这边的动静。

"你不能进来。"莎洛特制止了陌生男人。

"那我从外面递给你们吧。"他递进来一张皱皱的照片。

"哎呀！是一只小狗！"汉娜兴奋地叫了起来，"它长得真可爱！莎洛特，快来看呀！"

"其实，这只小狗是我儿子养的。但是很可惜，他不能继续养了，因为他有严重的鼻炎，养小动物会使病情加重。"陌生男人忧伤地说。

"我听说过，有些人确实不适合养小动物。"汉娜表示同情。

"你儿子叫什么名字？"莎洛特问。

"尼克拉斯。"陌生男人立刻回答，"他今年八岁。为了他的身体着想，我只好先把小狗关在地下室，然后出来寻找可以收养它的好心人……你们想成为它的新主人吗？"

"我不能养狗。"莎洛特果断地拒绝了。

"我也不行。"汉娜很为难，"但是它太可爱了！或许，我可以去问问妈妈能不能收养它，就当是给我的生日礼物。"

"汉娜，你看那个老奶奶。"莎洛特提醒汉娜。

老奶奶依然站在马路对面，正向她俩挥手。

"先别管她。"汉娜暂时顾不上回应老奶奶。

"地下室那么冷，我真担心小狗会生病。"陌生男人边说边把照片放回衣服口袋。

"没有人照顾它吗？"汉娜非常关心。

　　"没有。要是有人来看它，它一定会很开心。"陌生男人说，"汉娜，你能不能去看看它？"说完，他向后退了几步，一副要走的样子。

　　"可我不能去。"汉娜很难过。

"我家离这儿很近，就在拐角那边。"陌生男人继续劝说汉娜，"不过，要是你不去，我也能理解。"

"莎洛特，要不你跟我一起去吧？"汉娜请求道。

"我不去！"莎洛特坚定地说。

"那你在这儿等我，好吗？"汉娜决定自己去。

　　莎洛特正想小声劝阻汉娜，可是陌生男人故意大声地说："我真不知道该怎么办才好。那个小家伙真可怜！"

　　"把它送到动物收容所去吧。"莎洛特说。

　　"它一定会被其他动物咬伤的。"陌生男人假装非常担心地说，"小狗就应该和小朋友待在一起啊。汉娜，你去看看它吧，用不了五分钟就能到。我向你保证，你一定会很喜欢它的。"

　　"你应该待在这儿，不能跟陌生人走。"莎洛特再一次提醒汉娜。

　　"我很快就会回来的。"汉娜急忙打开门，跟着那个陌生男人走了。

汉娜一走出花园，那个陌生男人就立刻拉住了她的手。汉娜觉得有点儿不对劲。

　　等他们穿过马路，陌生男人把汉娜的手抓得更紧了。汉娜这才意识到：糟糕！情况不妙！

陌生男人越走越快，汉娜都快跟不上他了。现在，他看上去一点儿也不温和，眼神里透着凶恶。

汉娜努力想要挣脱，但是陌生男人紧紧抓着她的手。

汉娜感到害怕和无助极了，担心这个陌生男人会伤害自己。

陌生男人发现汉娜已经有所察觉，低声冷冷地
说："不许叫！"

汉娜吓得心怦怦直跳，喉咙发干，说不出话
来。她使劲向后倾斜身体，想把自己的手抽出来。

陌生男人粗暴地把她拖到一座房子的门前。

汉娜环顾四周，可是一个人也没看到。

幸好老奶奶从拐角处缓缓走来。"汉娜！"她大声呼喊着，"今天约好去儿童医院的，我们要迟到了。格奥尔格叔叔的车马上就到了！"

陌生男人立刻松开汉娜的手，慌乱地看了看周围，撒腿跑了。

　　汉娜慌忙跑到老奶奶的身边。

　　老奶奶温柔地摸了摸她的脸，说："'儿童医院'和'格奥尔格叔叔'是我编的。谢天谢地，幸亏他相信了，放开了你，否则后果不堪设想！"

这时，汉娜的妈妈和莎洛特，还有莎洛特

汉娜知道，是莎洛特带妈妈们来的，可

说不出话来。

汉娜的妈妈感激地拥抱了老奶奶，然后紧

汉娜感觉自己像做了一场梦，她听到老

睹了全过程，汉娜真的差点儿就被坏人带走了

"我没上当，因为我一点儿也不关心他的小狗。"莎洛特说。

"莎洛特，你仔细想想，他说的那些都是在骗你们，其实他根本没有小狗。"莎洛特的妈妈揭穿了坏人的谎言，"这些坏人总是编一些故事来骗你们这些单纯的孩子！"

给我们看照片了。"莎洛特说。

"照片是很容易得到的。你们看到的照片上的小狗，现在很可能已经长大了，而且被主人照顾得很好。"

"有些坏人会趁大人不注意时，对小朋友做坏事，你们要格外小心。"老奶奶提醒汉娜和莎洛特。

汉娜渐渐地恢复了平静。

妈妈对汉娜说："我刚才真的吓坏了。要是找不到你，该怎么办啊？"她激动得嘴唇颤抖，忍不住哭了。

汉娜也哭了起来。

莎洛特的妈妈安慰她们："幸好温特哈格太太及时出现，吓跑了坏人。平安无事就好。"

"光凭运气可不行。每个小朋友都要时刻小心，绝对不能轻易相信陌生人的话，更不能随便跟陌生人走！"想想刚才的事，汉娜的妈妈还是有些后怕。

"妈妈，我牢牢记住了。"汉娜向妈妈保证。

跟陌生人走 / (德) 苏珊·阿

；张清泉译. —青岛：青岛

… ③张… Ⅲ. ①儿童故事 –

H516.85

据核字(2017)第256636号

ing

enn dich nicht, ich geh nicht mit!

erlag GmbH, Würzburg, Germany.

uage edition arranged through HERCULES Business & Culture GmbH, Germany

版权局著作权合同登记号 图字：15-2017-186号

书　　名	我会爱自己（第1辑 ③）·我不跟陌生人走	
文　　字	［德］苏珊·阿本哈德	
绘　　图	［德］尤塔·可尼平	
翻　　译	张清泉	
出版发行	青岛出版社	
社　　址	青岛市海尔路182号 (266061)	
本社网址	http://www.qdpub.com	
邮购电话	13335059110　0532−85814750（兼传真）	
责任编辑	刘怀莲	
特约编辑	梁　颖　刘倩倩	
装帧设计	时　雨	
印　　刷	青岛乐喜力科技发展有限公司	
出版日期	2017 年 11 月第 1 版　2019 年 5 月第 10 次印刷	
开　　本	16开（850mm×1092mm）	
印　　张	10.5	
字　　数	200千	
书　　号	ISBN 978-7-5552-6273-2	
定　　价	98.00元（全 6 册）	

编校印装质量、盗版监督服务电话　4006532017　0532-68068638